Chers amis rongeurs,
bienvenue dans le monde de

Geronimo Stilton

Texte de Geronimo Stilton
Illustrations de Matt Wolf
Maquette de Merenguita Gingermouse
Traduction de Titi Plumederat

Les noms, personnages et intrigues de Geronimo Stilton sont déposés. Geronimo Stilton est une marque commerciale, propriété exclusive des Éditions Piemme S.P.A. Tous droits réservés. Le droit moral de l'auteur est inaliénable.

www.geronimostilton.com

our l'édition originale :
© 2000 Edizioni Piemme S.P.A. Via del Carmine, 5 – 15033 Casale Monferrato (AL) – Italie, sous le titre *Il fantasma del metrò*
Pour l'édition française :
© 2003 Albin Michel Jeunesse – 22, rue Huyghens – 75014 Paris – www.albin-michel.fr
Loi 49 956 du 16 juillet 1949 sur les publications destinées à la jeunesse
Dépôt légal : second trimestre 2005
N° d'édition : 13406/5
ISBN : 2 226 14047 6
Imprimé en France par l'imprimerie Clerc à Saint-Amand-Montrond

Stilton est le nom d'un célèbre fromage anglais. C'est une marque déposée de Stilton Cheese Makers' Association. Pour plus d'information, vous pouvez consulter le site www.stiltoncheese.com

Geronimo Stilton

LE FANTÔME DU MÉTRO

ALBIN MICHEL JEUNESSE

GERONIMO STILTON
SOURIS INTELLECTUELLE,
DIRECTEUR DE *L'ÉCHO DU RONGEUR*

TÉA STILTON
SPORTIVE ET DYNAMIQUE,
ENVOYÉE SPÉCIALE DE *L'ÉCHO DU RONGEUR*

TRAQUENARD STILTON
INSUPPORTABLE ET FARCEUR,
COUSIN DE GERONIMO

BENJAMIN STILTON
TENDRE ET AFFECTUEUX,
NEVEU DE GERONIMO

PANIQUE
DANS LE MÉTRO

Scouiiitt ! Une rame de métro allait me passer sur le corps et me réduire en bouillie ! Je courais, je courais, je courais...

Je me réveillai en sursaut
dans mon lit.
Ouf, ce n'était qu'un cauchemar !
C'est alors que le téléphone
SONNA. Je tendis la patte vers
le combiné et répondis, d'une
voix ensommeillée :
– Allô ! Ici Stilton, Geronimo
Stilton !
À l'autre bout du fil, ma sœur
Téa poussa un cri strident
qui me perfora le tympan
droit :

– Geronimooo ! Que fais-tu ? Tu dors ?
Dépêche-toi de venir au bureau ! **Tout de suite !**

Je jetai un coup d'œil vers ma table de nuit et bondis. Quoiii ? Neuf heures et demie ?

Je n'avais pas entendu sonner le réveil !

J'avais un retard ahurissant !

J'allais dire à Téa que j'arrivais tout de suite, mais elle m'avait déjà raccroché au museau.

Je me précipitai sous la douche, me brossai les dents en nouant ma cravate, ingurgitai mon café en claquant la porte de chez moi et enfilai ma veste dans l'escalier…
Je me ruai au-dehors comme un fou furieux, manquai d'être renversé par un taxi au moment

où j'attrapais au vol le journal au kiosque. J'arrivai tout essoufflé à la station de métro de la place de la Pierre-qui-Chante. *Scouiiitt !*
J'attendais sur le quai quand un **effroyable** miaulement félin me fit sursauter…

Tous les rongeurs, terrorisés, se précipitèrent dans les escaliers en couinant :

– Un **CHAT** ! Il y a un **CHAT** dans le métro !

Je me dirigeai vers la sortie, tout tremblant, mais en restant un peu à l'écart pour ne pas être renversé et piétiné par la foule. Une vieille dame, qui tenait son petit-fils par la patte, poussait des cris surexcités :

Scouiiitt, il va nous dévorer tout crus !

Le petit éclata en sanglots, épouvanté.

Je le pris dans mes bras et murmurai à la grand-mère, pour la rassurer :

– Ne vous inquiétez pas, madame ! Tout va bien se passer !

Puis je gravis lentement l'escalier, portant d'une patte la petite souris et, de l'autre, m'agrippant à la rampe.

– Madame, passez devant moi, comme ça on ne vous bousculera pas ! lui conseillai-je.

Finalement, nous sortîmes sur la place.

– Merci, merci, vous êtes vraiment un *noblerat* ! chicota la mamie, reconnaissante.

J'offris une glace au fromage à la petite souris, fis le baisepatte à la grand-mère et murmurai, avec une exquise courtoisie :

– C'est tout naturel, madame !

Un chat
fantôme

Je regardai ma montre : déjà dix heures !
Il fallait que je coure au bureau, à la
rédaction du journal. Au fait, excusez-moi,
je ne me suis pas présenté : mon nom est

... ma sœur Téa, envoyée spéciale du journal...

Stilton, *Geronimo Stilton !* Je suis une souris éditeur, je dirige *l'Écho du rongeur,* le quotidien le plus lu de l'île des Souris. Je disais donc que je me **précipitai** au bureau.

Mais où était passée ma sœur Téa, envoyée spéciale du journal ?

À cet instant, j'entendis le grondement d'une moto, puis la porte s'ouvrit en grand. C'était elle. Je protestai :

– Téa, je t'ai dit mille fois de ne pas entrer dans mon bureau à moto !

Elle ricana sous ses moustaches et se gara près de mon fauteuil. Elle retira son casque et chicota, surexcitée :

– Geronimo ! Geronimo !!! Il paraît qu'un félin *géant* hante les couloirs du métro. C'est peut-être un *fantôme* ! Des gens l'ont entendu miauler à la station de la place De la Pierre-qui-Chante. Ça, c'est une info ! Il faut **ab-so-lu-ment** publier ce scoop avant *la Gazette du rat* !

J'essayai d'expliquer :

– J'y étais, et quand on a entendu le miaulement…

Mais elle ne m'écouta même pas, se jeta sur l'**ORDINATEUR** et se mit à surfer sur Internet à la recherche d'informations.

Soudain, elle poussa un cri qui me fit sursauter :

– Bon, en résumé… *Lundi*, on a senti une horrible odeur de pipi de **CHAT** à la station du boulevard Croustade. *Mardi*, sur le distributeur automatique de glaces, à la station de la place Port-Salut, on a découvert d'impressionnantes traces de griffes. On aurait dit qu'elles étaient l'œuvre d'un **CHAT** géant ! *Mercredi*, on a relevé des empreintes géantes de **CHAT** sur l'escalier mécanique de la station de la place Féline. *Jeudi*, des voyageurs terrorisés ont vu l'ombre d'un **CHAT** à la station de la rue Pattounette. *Vendredi* (c'est-à-dire aujourd'hui),

on a entendu un effroyable miaulement de **CHAT** à la station de la place de la Pierre-qui-Chante. Des bruits courent selon lesquels ce serait un **CHAT** fantôme, parce que, parfois, dans le métro, la lumière s'éteint brusquement...
Blanc comme un camembert, je dis à Téa :
– Euh, je vais te demander une faveur. S'il te plaît, ne prononce plus le mot **CHAT** : il me suffit de l'entendre pour avoir les moustaches qui tremblent et le poil qui se hérisse ! J'ai peur des **CHATS**...
Ma sœur soupira :
– Eh, toujours aussi trouillard !

QUEL RAPPORT AVEC LE GOLF ?

C'est alors que le fax cracha un papier : c'était un communiqué de presse.

Truc Troudsouri

"Pour des raisons de sécurité, l'inspecteur Rakt ferme le métro."
Téa s'écria :
– Je dois tirer cela au clair !
Elle commença à appeler tous ses *contacts* au plus haut niveau : d'Honoré Souraton, le maire de Sourisia, à Rectiligne Scouicard, le chef de la police… sans oublier

le plus célèbre détective privé de la ville, Truc
Troudsouri, dit T.T. !
Mais elle raccrocha bientôt, déçue.
– *Scouitt !* **In-vrai-sem-bla-ble !** Personne ne
sait rien ou personne ne veut rien dire sur l'af-
faire du métro !
L'après-midi était bien entamé.
J'eus une illumination.
– J'ai une idée ! Je t'avais dit que je m'étais
remis au golf ?
Elle soupira :
– Quel rapport avec le golf ?
J'expliquai :
– Au cercle de golf, j'ai
fait la connaissance de
Loncoup Tirentrou, le
directeur du métro. Je
vais l'appeler, et on
verra bien ce qu'il dira !
Je chicotai dans l'appareil :
– Bonjour, mon cher !

Loncoup
Tirentrou

C'est moi, Stilton, Geronimo Stilton. Comment va le golf ? Ah, c'est toi qui as gagné la coupe ? Félicitations ! À propos, aurais-tu des informations sur le mystère du métro ? *Scouitt,* vraiment ? Ah, hum, je comprends... Je raccrochai, bredouille.

– Loncoup ne peut rien me dire non plus. Il s'agit d'une enquête

ᴛ𝐎p secret·

Sur ces entrefaites, mon cousin Traquenard entra dans le bureau : sans frapper, comme d'habitude.

Il avait les bras chargés de sacs et de paquets.

– Vous connaissez la nouvelle ? À la demande générale, je vais ouvrir une sandwicherie ! Je l'appellerai...

ÇA BAIGNE, COUSIN ?

Grignotant sa sucette au gruyère, Traquenard couina :

– Alors, ça baigne, cousin ?

Il glissa la sucette dans sa poche, se laissa tomber dans un fauteuil et mit les pieds sur mon bureau, tout en se curant les dents.

– Ça t'embêterait de t'asseoir correctement ? demandai-je, excédé.

Il retira son cure-dent de sa bouche et s'en servit pour se curer les ongles. Puis il se nettoya l'oreille avec l'auriculaire.

– Tu es bien susceptible, aujourd'hui, Geronimo... couina-t-il.

Il se gratta les moustaches en bâillant.

– Je me trompe, ou il y a une **grande** nouvelle dans l'air ?

J'éclatai :

– Traquenard, tu ne vois pas que nous sommes occupés ? Nous travaillons sur l'affaire du fantôme du métro. Nous voulons faire un scoop !

Il flaira la bonne affaire.

– Un scoop ? J'imagine que vous recherchez des informations secrètes… Vous allez voir !

Il décrocha le téléphone de ses pattes **poisseuses** et expliqua, en composant un numéro :

– Jobard Têtedemerlu, le petit-fils de la concierge du cousin du pédicure du frère d'un balayeur du métro, est mon ami. Nous faisons des parties de bingo ensemble, à la ***Taverne de la Croupière***.

Il couina dans le téléphone :

– Allô ? Jobard ? C'est toi ? Salut, copain, ça baigne ? Débouche-toi les oreilles, j'ai besoin d'informations sur le **CHAT** du métro… Ah, tu veux savoir pourquoi ?

Traquenard décrocha le téléphone…

Eh, gros curieux, ça me regarde... D'ac', rappelle-moi. Je suis à *l'Écho du rongeur*. Tu connais le numéro ? Oui, c'est ça...

Trois (seulement *trois*) minutes après, le téléphone sonnait. Traquenard décrocha.

– Bon... ouh, c'est vrai ? Allez... ça alors... eh ben... eh ouais... ouais ouais ouais... *scouitt !* OK d'ac', Jobard, je te revaudrai ça ! À propos, je t'attends *À l'Estomac d'acier* !

Il raccrocha.

– Je sais tout.

Téa prit son bloc-notes et couina, impatiente :

– Alors ?

Mon cousin ricana :

– Du calme, cousine, du calme... D'abord, on va parler affaires. Ce qui m'arrangerait, ce serait un peu de *blé* pour ouvrir ma sandwicherie !

INFORMATIONS SECRÈTES

Traquenard croqua un bonbon au roquefort.

– Voici ma proposition : je vous dévoile mes informations secrètes sur le **CHAT** du métro. Toi, cousine, tu écris l'article, Geronimo le publie. Et nous partagerons l'argent que rapportera ce scoop :

80% pour moi...

20% pour vous !

J'étais scandalisé.

– Ah, bravo ! Jolie façon de traiter la famille !

Il fit semblant d'être vexé.

– Tu sais, je t'ai déjà accordé un rabais. J'aurais pu réclamer **85%** ou même **90%**...

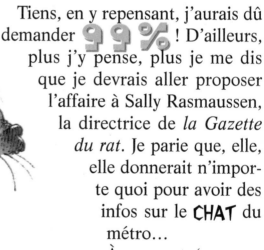

Tiens, en y repensant, j'aurais dû demander **99%** ! D'ailleurs, plus j'y pense, plus je me dis que je devrais aller proposer l'affaire à Sally Rasmaussen, la directrice de *la Gazette du rat*. Je parie que, elle, elle donnerait n'importe quoi pour avoir des infos sur le **CHAT** du métro...

À ce mot (comme toujours), je frémis.

TU ES RADIN, GERONIMO

– Quoi quoi quoi ? Toi, mon cousin, tu passerais à la concurrence ? Tu sais bien que Sally Rasmaussen est mon ennemie numéro un ! protestai-je, indigné.

Il joua la victime :

– C'est toi qui m'y obliges ! Tu m'y forces presque, par ton attitude de radinerie qui, franchement, me fait beaucoup de mal. Mais je me souviens que, tout petit déjà…

La moutarde me monta au museau.

– Ah bon ? Vraiment ? Je suis radin ? Simplement parce que je dis que tu me proposes des conditions inacceptables ?

Ma sœur s'en prit à Traquenard :

– Je vais te les donner, moi, tes **9 9 %**... Mais je vais d'abord t'arracher les moustaches, faire des nœuds à ta queue, te mâchouiller les oreilles ! Ça t'apprendra à te moquer de nous, tête de reblochon ! De toute façon, tes informations, tu peux te les garder !

À ce moment, Pinky Pick✷ entra dans la pièce.

Je compris qu'elle savait déjà tout.

Et je m'aperçus que j'avais laissé l'interphone allumé...

✷ Note : *Pinky a treize ans. Le matin, elle va à l'école ; l'après-midi, elle collabore à* l'Écho du rongeur *comme chasseuse de tendances !*

TOPE LÀ, ASSOCIÉE !

Pinky PICK

En sautillant sur ses chaussures tout-terrain roses, Pinky cria :
– Silence tout le monde !
Mon cousin cessa de se bagarrer avec Téa et couina :
– Qui c'est, celle-là ?
Pinky annonça solennellement :
– Mon nom est Pick, Pinky Pick. Je suis l'assistante de monsieur Stilton. J'ai *(nous avons)* une offre à vous faire :

ASSOCIÉE !

TOPE LÀ,

1. *Traquenard raconte ce qu'il sait.*
2. *Je vous dévoile comment pénétrer dans le métro même quand la police a fermé les grilles.*
3. *Téa organise une expédition dans le métro.*
4. *Geronimo Stilton finance l'expédition.*

Puis elle conclut, très sûre d'elle :

– Les quatre associés (évidemment) se partageront les gains à égalité !

Traquenard se plaignit :

– Quoi ? Partager à égalité ? Ça ne fait que **25 %** pour le pauvre Traquenard qui doit ouvrir une sandwicherie ?

Pinky répéta, résolue :

– **25 %** ! C'est à prendre ou à laisser.

Puis elle lui tendit sa petite patte.

– Alors ? Marché conclu ?

Traquenard la lui serra, et je jurerais qu'il avait une lueur d'admiration dans les yeux.

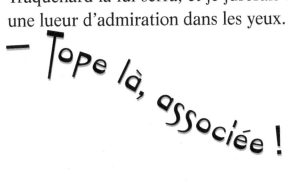

– Tope là, associée !

UN FÉLIN
DE 18 TONNES ?

Traquenard raconta ce que lui avait appris Jobard :

1. Aujourd'hui, on a retrouvé de nouvelles griffures sur le distributeur automatique de glaces au fromage de la place de la Pierre-qui-Chante.

2. En étudiant la profondeur des griffures, la police scientifique a calculé qu'elles avaient été faites par un félin haut de 6 mètres et long de 20 mètres, pesant au moins 18 tonnes !

3. À la station du boulevard Croustade, on a trouvé des touffes de poils et une moustache féline (d'une longueur de 80 centimètres).

4. L'expert de félinologie du musée de Sourisia a conclu qu'il pouvait s'agir d'un exemplaire géant de *Felis silvestris,* ayant le poil **GRIS SOMBRE** et une longue queue touffue.

5. Un psychologue diplômé en psychologie féline est en train de mettre au point un piège pour le **CHAT** du métro. Il paraît (c'est une information très secrète) qu'on l'attirera avec 400 boîtes de croquettes Crock Cat qu'on a fait préparer exprès !

QUATRE PIZZAS
À LA FONDUE !

Téa décrocha le téléphone et appela le marchand d'articles de sport du coin de la rue :
– Allô ? Il nous faut quatre combinaisons thermo-isolantes, quatre paires de bottes à semelles de **caoutchouc**, quatre torches électriques…
Traquenard lui fit un clin d'œil.
– OK, cousinette ! En attendant, moi, je m'occupe des provisions !
Je l'entendis appeler la pizzeria d'en face :
– Allô ? Je voudrais quatre mégapizzas du genre **robuste**, à la fondue hyper-piquante, pour souris à l'estomac d'acier, avec quelques gousses d'ail cru, des dés d'oignon rouge, des rondelles de saucisson au curry,

une pincée de safran, un soupçon de noix muscade et une montagne de poivre de Cayenne...

Puis ce fin gourmet chicota :

– Sur la mienne, vous ajouterez quelques tranches d'ananas au sirop, un peu (un peu beaucoup) de crème Chantilly et de la mélasse !

N'oubliez pas la cerise (confite, cela va de soi).

Puis il hurla si fort que le malheureux marchand de pizzas dut en avoir les tympans crevés :

avec quelques gousses d'ail cru, des dés d'oignon rouge, des rondelles de saucisson au curry, une pincée de safran...

– Et mettez-moi plein plein plein de garniture, de toute façon, c'est mon cousin qui paie, Geronimo Stilton !

Il allait raccrocher, mais il se ravisa et cria encore dans l'appareil :

– J'oubliais : pour mon cousin, faites une pizza très **PIQUANTE**, hein ; ça lui blindera l'estomac !

Je voulais protester et commander un plat de riz à l'eau (j'ai la digestion difficile), mais Téa me regarda fixement et demanda :

– Toi aussi tu viens, *pas vrai*, Geronimo ?

Je me tus.

Je n'étais vraiment pas pressé de descendre dans les souterrains du métro pour me retrouver museau à museau avec un félin géant !

J'essayai donc de me défiler :

– Euh, j'ai l'impression que j'ai un début de rhume, et, ces tunnels du métro, ça doit être assez humide ! Tu sais bien que j'ai des rhumatismes dans la queue...

Traquenard murmura, comme si de rien n'était :

– À propos, Geronimo... mon ami Jobard a entendu dire que Sally Rasmaussen est déjà sur le coup. Cousin, tu ne veux tout de même pas qu'elle trouve avant nous, hein ? Tu ne veux pas que ce soit elle qui publie le scoop, pas vrai, cousin ?

Au nom de Sally Rasmaussen, mes moustaches frémirent et je changeai d'avis.

– Bon, c'est décidé : je vais avec vous !

QUI NE RISQUE RIEN NE RONGE RIEN !

Cinq minutes plus tard, j'entendis sonner à la porte : c'était le livreur de pizzas.

Traquenard dévora avec appétit sa pizza et la mienne (il me suffit d'une bouchée pour avoir des brûlures d'estomac).

Téa prit son appareil photo et son bloc-notes...

Traquenard, lui, bourra un sac plastique de victuailles variées : on en sentait l'odeur à cent mètres à la ronde.

– **Qui ne risque rien ne ronge rien !** couina-t-il avec satisfaction.

On sonna de nouveau : c'était le livreur du magasin d'articles de sport. Résigné, je mis une combinaison, enfilai un passe-montagne sur le museau et me passai la fourrure à la teinture noire. Je chaussai aussi des bottes imperméables. J'enfonçai sur ma tête un casque avec une lampe frontale. Je portais en bandoulière une longue corde enroulée avec un grappin à l'extrémité. J'ESPÉRAIS QUE PERSONNE NE ME VERRAIT DANS CET ACCOUTREMENT... je suis une souris intellectuelle, moi, je suis honorablement connu !

Nous étions prêts. Prêts à tout.

À huit heures, sur la pointe des pattes, nous sortîmes.

La nuit tombait. Nous n'avions pas l'air de journalistes en quête d'un scoop, mais de voleurs préparant un mauvais coup...

Pinky nous conduisit dans une ruelle, derrière le marché aux poissons, dans le quartier du port, et nous indiqua une bouche d'égout.

odeur de fromage

– La police a fermé toutes les entrées de métro. Mais nous entrerons en passant par cette bouche d'égout !

Puis elle nous montra la photocopie en couleurs d'un plan.

– Là-dessous passent les égouts numéro 56. En suivant la galerie, au bout d'une demi-heure, nous croiserons la ligne 7.

Traquenard, admiratif, s'exclama :

– Comment as-tu fait pour te procurer ce plan ?

Pinky ricana :

– C'est Totoballot Taupinaud, un copain de l'école, qui me l'a photocopié…

TOTOBALLOT
TAUPINAUD

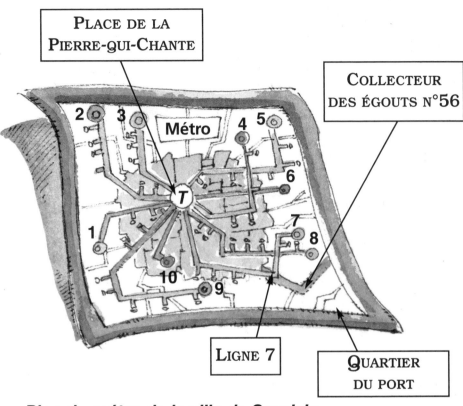

PLACE DE LA
PIERRE-QUI-CHANTE

COLLECTEUR
DES ÉGOUTS N°56

2   3   Métro   4   5

6

T

1

7

8

10   9

LIGNE 7

QUARTIER
DU PORT

Plan du métro de la ville de Sourisia

T : *PLACE DE LA PIERRE-QUI-CHANTE*

Ligne 1 : *esplanade Duraton*
Ligne 2 : *boulevard Croustade*
Ligne 3 : *rue Pattounette*
Ligne 4 : *esplanade de la Fondue*
Ligne 5 : *rue Queuetranchée*

Ligne 6 : *place Port-Salut*
Ligne 7 : *boulevard Moustacrochu*
Ligne 8 : *place Féline*
Ligne 9 : *place Poiltouffu*
Ligne 10 : *avenue Faisselle*

C'est le frère du beau-frère de l'oncle de la cousine du professeur de sciences du neveu du R.E.S. (Responsable des Égouts de Sourisia). En échange, j'ai dû promettre à Totoballot de lui passer la solution du devoir de maths pour mardi prochain !

Je couinai :

– Les égouts ? Pas question de descendre dans les égouts ! Je suis une souris honorable, moi !

Traquenard ricana :

– Tu veux dire que tu as **Peur...**

P comme **PETIT,** DÉJÀ TU AVAIS LA TROUILLE !

E comme ELLE A GROSSI COMME UNE **CITROUILLE** !

U comme UN **FROUSSARD** OU GERONIMO, C'EST PAREIL !

R comme **Réagis** ou je t'y traîne par les oreilles...

Puis il cria :

– Pense à Sally ! Si ça se trouve, elle est déjà là-dessous, et elle va te piquer le scoop !

Téa souleva la plaque d'égout et descendit la première.

Pinky la suivit, puis je descendis à mon tour, à contrecœur, et Traquenard insista pour passer en dernier.

– Je veux vérifier que notre héros, notre intellectuel, ne va pas prendre la poudre d'escampette ! Je le connais ! Tout petit, déjà…

J'allais me retourner pour lui dire ma façon de penser quand Téa nous gronda :

Descendez en silence !

CHAT CHAT CHAT CHAT...

L'obscurité était totale.

Nous descendîmes au long d'une échelle d'acier, dont les barreaux étaient rendus glissants par l'humidité. Heureusement, nous avions nos bottes aux semelles de caoutchouc.

Quel froid ! J'éternuai :

– *Atchouuuum !*

Je geignis :

– Et voilà, je le savais ! Je me suis enrhumé !

Traquenard fit semblant de me plaindre :

– Pauvre petit Gerominou, il a le museau qui coule ! Vilain, le rhume, vilain !

Je voulais lever la tête pour protester, mais j'avais peur de lâcher prise sur les échelons et de tomber.

Comme cette galerie était profonde ! Je n'osais pas regarder en bas : j'ai le vertige ! La descente me parut interminable.

Enfin, Téa murmura :

– Nous y sommes !

En posant la patte par terre, je poussai un soupir de soulagement.

Nous allumâmes nos torches électriques et commençâmes

à avancer précautionneusement dans le souterrain. Nous nous trouvions sur un trottoir étroit
et glissant.

Sur notre gauche coulait un canal rempli d'un
jus nauséabond.

Traquenard couina, en montrant quelque chose
derrière moi :

– Geronimo ! Il y a un **CHAT** derrière toi !

– Quoi ? Où ça ? Au secours ! hurlai-je, terrorisé.

jubila Traquenard, en ricanant sous ses moustaches.

Je m'en mordis la queue de rage.

Mais Traquenard continuait à faire de l'esprit :

– Ça sent le **CHAT** mort, dans le coin !

– Ne prononce pas ce mot ! dis-je en frisson-
nant.

Il fit semblant d'être surpris :

– Ah bon, le mot **CHAT** te dérange ? Curieux…
Pourquoi justement le mot **CHAT** ? Et puis

Sur notre gauche coulait un canal…

c'est le mot **CHAT** tout seul ou il y a d'autres mots, en plus du mot **CHAT** ? Et si on le répète plusieurs fois, ça te fait quel effet ? Ça va mieux ou ç'est pire ?

CHAT CHAT CHAT CHAT CHAT CHAT CHAT CHAT CHAT CHAT CHAT CHAT CHAT CHAT CHAT CHAT CHAT CHAT CHAT CHAT CHAT CHAT CHAT CHA

– Pitié ! couinai-je, en me bouchant les oreilles pour ne plus entendre ce mot.

Téa ordonna :

– Arrête im-mé-dia-te-ment !

Traquenard ricana :

– Ah, heureusement qu'il y a les femmes pour le défendre. Tout petit, déjà...

Il s'interrompit en hurlant :

– *Scouiiiiiiitt !* Quelque chose m'a pincé la queue !

Dans le noir, impossible de savoir qui c'était. Mais je soupçonnais Pinky. Elle est la seule qui prenne ma défense (enfin, quand elle en a envie).

Téa conclut, satisfaite :

– Bon, comme ça, vous êtes à égalité. Et maintenant, suivez-moi !

PIPI
DE CHAT

Avec sa torche, Téa éclaira le plan des souterrains.
– Nous sommes presque au bout du collecteur
des égouts numéro 56. Nous allons bientôt croi-
ser la ligne 7 du métro. Puis nous arriverons au
point (T) place de la Pierre-qui-Chante, le
nœud de tout le réseau ferroviaire souterrain !
Nous avançâmes dans le collecteur. Soudain, je
dérapai sur une flaque jaunâtre.
– Tu as glissé sur du pipi de CHAT, cousin ?
plaisanta Traquenard.
Je frissonnai. Ah, ce mot…
Le liquide qui s'écoulait dans le canal dégageait
une odeur de pourriture, aggravée par les
produits chimiques (eau de Javel, chlore, acide
phénique) qu'on y versait pour désinfecter.

Traquenard lança d'un air sournois :

– Geronimo, tu ne trouves pas que ça sent vraiment le pipi de **CHAT** ?

– Je t'en prie, ne prononce plus ce mot ! demandai-je, en m'efforçant de rester calme. Il se mit alors à chantonner :

– Il était une fois un **CHAAAT**...
Croquer les souris, ça l'rendait gagaaaa...
Il était dix fois rapide comme un raaaat...
Il était très rusé, ce **CHAAAT**...

Je n'en pouvais plus et m'écriai :

Traquenard protesta :

– Ah, je ne savais pas qu'il était interdit de chanter ! Geronimo, excuse-moi de te poser la question, mais... as-tu vu un médecin ? On dirait vraiment que tu as une araignée dans le plafond !

J'étais à bout.

Je hurlai :

— Je n'ai aucune raison de voir un médecin, je me porte à merveille ! C'est toi qui devrais y aller !

Il commenta, placide :

– Excuse-moi, mais pourquoi tu cries comme ça ? Je comprendrais si tu avais eu la queue écrabouillée par un CHAT...

J'avais de plus en plus de mal à garder mon calme, mais je ne voulais pas lui donner le plaisir de me faire enrager.

Nous étions presque arrivés au bout du collecteur des égouts numéro 56.

Toutes nos torches s'éteignirent en même temps, et je vis deux perfides yeux jaunes briller dans le noir.

Je poussai un cri de terreur...

Au secouurs ! !

le chaaaat

fantôôôôme !

Quelques secondes plus tard, les torches électriques se rallumèrent comme par enchantement. Je poussai un soupir de soulagement. Je reprenais mon souffle quand Traquenard couina, en montrant quelque chose derrière moi :

– Geronimo ! Il y a un **CHAT** derrière toi !

– Quoi ? Où ça ? Au secours ! hurlai-je, terrorisé.

– Je t'ai bien eu, Je t'ai bien eu !

jubila Traquenard, en ricanant sous ses moustaches.

Les pattes me démangeaient de lui arracher les moustaches poil après poil !

Une heure s'écoula. Traquenard cria de nouveau :

– Un **CHAT** ! Il y a un **CHAT** derrière toi, Geronimo !

Je protestai :

– Ça suffit, les *plaisanteries* !

Mais je me retournai

quand même pour vérifier et poussai un *scouiiitt* de terreur. Derrière moi se dressait l'ombre d'un **CHAT** géant, affamé, qui avait sorti ses griffes !

Un chat géant avait sorti ses griffes…

COMME
UN RAT D'ÉGOUT

L'ombre s'évanouit aussi vite qu'elle était apparue. Nous nous réfugiâmes dans un coin sombre.

Mes moustaches en tremblaient de peur !

Téa nous accorda une pause d'une demi-heure.

Traquenard en profita pour fouiller dans le sac des provisions.

Il couina fièrement :

– Hum, c'est à s'en pourlécher les babines ! Ce ne sont que des recettes exclusives de votre serviteur !

Il sortit du sac un pâté en croûte d'algues au vinaigre ; puis un bocal de fromages de chèvre au sirop, un autre de gelée d'aubergine et, pour finir, une tarte à la moisissure de fromage blanc, une boîte de chocolats verdâtres au persil et une mousse au chocolat amer recouverte de meringues à la bave de limace.

Puis il ouvrit une Thermos qui contenait une bouillie chaude aux harengs fumés : il la goûta et, ravi, fit claquer sa langue.

Pour terminer, il mâcha un chewing-gum aux fines herbes.

– C'est pour me rafraîchir l'haleine !

Il se massa le ventre, repu.

– BURP !

Enfin, il chicota, pour faire le malin :

– Ah, la nuit, tous les **CHATS** sont gris. Celui-là joue avec nous comme le **CHAT** avec la souris. Mais quand le **CHAT** n'est pas là, les souris dansent !

Je sursautai. Je restais coi, mais j'attrapai la tarte à la moisissure de fromage blanc et j'allais l'écrabouiller sur le museau de Traquenard quand Téa me retint.

– Ce n'est vraiment pas le moment de se bagarrer ! Nous devons nous préparer à traverser les égouts. Vous voyez cette galerie : c'est le début de la ligne 7, mais il faut traverser le canal.

– **Non, non et non !** Je ne plongerai pas dans les égouts. Il y a des limites à tout ! protestai-je.

Téa se mit en route.

– Bon, alors reste seul dans ton coin. Nous, on y va.

Je lui courus derrière.

Une horrible odeur d'égout...

– Une minute ! Tu ne vas tout de même pas m'abandonner ici ! Je suis ton frère !

Téa rétorqua sèchement :

– Je n'ai pas de temps à perdre. Alors, tu te décides ? Tu viens ?

Tout penaud, la queue entre les pattes, je finis par les suivre.

Je ne tenais pas à rester seul dans ce décor de cauchemar !

Téa lança une corde, et le grappin de métal s'accrocha à une échelle, de l'autre côté de l'égout.

Nous traversâmes le canal en nous suspendant à la corde. Heureusement, le conduit n'était pas très profond : nous avions tout de même du liquide puant jusqu'au museau.

Mais le fond était visqueux et j'avais peur de glisser. Quelle expérience terrifiante !

Se noyer dans ce liquide nauséabond, comme un vulgaire rat d'égout, cela me paraissait la plus atroce des fins, BRRR...

Enfin, nous arrivâmes sur l'autre bord.

Nous étions dans le tunnel de la ligne 7 du métro.

LES CHAÎNES
DU CHAT FANTÔME

Nous entendîmes un bruit de chaînes et un horrible miaulement :

MIAOOOOOUUUUU

Le **CHAT** fantôme était proche, tout proche ! Mon cœur battait la chamade.

Pourquoi, pourquoi, mais pourquoi m'étais-je laissé convaincre de descendre là-dedans ?

Soudain, le miaulement se tut, aussi brusquement qu'il avait commencé. Pour se donner du courage, Traquenard suggéra de prendre un goûter :

– Je vous propose une recette exclusive : un gros sandwich aux tripes… et, pour l'assaisonner, regardez ce que j'ai !

Tout en chantonnant, il sortit un tube, dévissa le capuchon et farcit son sandwich d'une crème d'aspect répugnant.

– De l'ail concentré salé ! Un délice, c'est à s'en lécher les moustaches !

Nous fîmes tous un bond en arrière.

Ma parole, l'odeur de ce sandwich aux tripes était plus infecte que *CELLE DES ÉGOUTS* !

De l'ail concentré salé ! Un délice, c'est à s'en lécher les moustaches !

PIÈGE
À CHATS

Nous partîmes pour le point T, la station de la place de la Pierre-qui-Chante.

Nous avancions en file indienne, sur le quai très étroit qui longe les rails, en éclairant les murs avec nos torches électriques.

Le profond silence n'était brisé que par le bruit des gouttes d'eau qui tombaient à terre : PLIC, PLIC, PLIC !

Téa nous prévint :

– Restez sur le quai. Ne descendez jamais sur les rails, c'est très dangereux ! Une ligne électrique pour l'alimentation des voitures du métro court entre les rails. Il suffit de la toucher pour être électrocuté !

Enfin nous arrivâmes à la station de la place de la Pierre-qui-Chante.

Le grand quai de béton (où les passagers attendent les rames de métro) était éclairé par de puissants projecteurs.

Nous nous dirigions vers les lumières en poussant un soupir de soulagement, quand nous entendîmes des voix. Nous nous réfugiâmes derrière une cabine télépho-nique, serrés les uns contre les autres.

C'étaient l'inspecteur Rakt et son assistant.

– Inspecteur, nous n'avons pas trouvé d'empreintes digitales !

L'INSPECTEUR RAKT

Ni de souris ni de **CHAT** !

– *Hummm…* grommela l'autre.

Son assistant poursuivit :

– De toute façon, le piège à **CHATS** est prêt ! L'expert en psychologie féline est sur place. Il a mis au point un mécanisme très ingénieux, chef… On l'a surnommé **l'appel de la croquette**.

L'inspecteur Rakt éclata :

– Quoi ? Des croquettes ? Qu'est-ce que les croquettes viennent faire là-dedans ?

L'autre continua, très fier :

– Ah, chef, on a eu bien du mal à transporter quatre cents boîtes de croquettes de Crock Cat pour **CHAT**. Mais, après…

– Après ? tonna l'inspecteur.

– Après, on a rempli de croquettes une énorme boîte de carton, qu'on a fabriquée exprès, et qui mesure 10 mètres de **haut** sur 4 de **large**. La boîte est secouée par un système très compliqué de treuils et de poulies.

On a rempli de croquettes une énorme boîte de carton…

Aucun chat ne résiste au bruit des **croquettes**. En plus, une de nos souris, l'enquêteur Radaigoux, s'est cachée à proximité de la boîte et, à intervalles réguliers, elle agitera un grelot géant pour attirer le **CHAT** ! Les chats adorent les grelots (c'est ce que dit le psychologue).

L'inspecteur avait du mal à ne pas exploser.

– Des croquettes… des poulies… des grelots ?

L'autre rongeur poursuivit fièrement :

– Nous avons aussi installé des haut-parleurs qui diffusent une phrase d'appel :

Minou, minou, minou...

Rakt couina, ses moustaches vibraient d'indignation :

– Et vous appelez ça une méthode scientifique ?

Et vous avez payé les services d'un psychologue ?
Finalement il partit en soupirant.

Je le regardai s'éloigner... Je ne pouvais pas ne pas remarquer que le métro de Sourisia était vraiment dans un **triste** état. Les sièges étaient cassés, le sol était crasseux, les murs étaient couverts de graffitis.

Le métro de Sourisia avait été construit cinquante ans plus tôt. Il paraissait désormais vieux, délabré, et il aurait bien eu besoin qu'on y fasse quelques travaux.

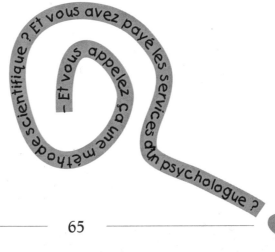

Et vous avez payé les services d'un psychologue ? Et vous appelez ça une méthode scientifique ?

Le métro de Sourisia était dans un triste état…

JE VAIS T'ÉPILER
LES MOUSTACHES !

Nous allions sortir de notre cachette quand nous entendîmes de nouvelles voix.

L'une était féminine, et je la reconnus aussitôt.

C'était la directrice de *la Gazette du rat,* Sally Rasmaussen, mon ennemie numéro un.

Je l'entendis ricaner :

– *Alors là,* j'ai les moustaches qui se tortillent rien qu'à l'idée de coiffer sur le poteau *l'Écho du rongeur.* Je veux un scoop sensationnel, *et alors* ce nigaud de Geronimo Stilton sera abasourdi comme une souris ! *Non mais alors !!!*

Je bouillonnai de colère.

Sally était accompagnée de son rédacteur en chef, Zéphyrin Zéro.

Le misérable examinait ici et là le sol avec une loupe, mais il n'avait pas l'air très convaincu.

– Allez, bouge-toi, Zéro ! *Alors !!!*

Il se lécha les moustaches.

– Euh, madame Rasmaussen, puis-je prendre une glace au fromage ? Il y a un distributeur automatique…

Sally hurla :

– Une glace ? *Alors ???* Bouge-toi, Zéro ! Je veux des indices ! Des preuves ! *Alors !!!*

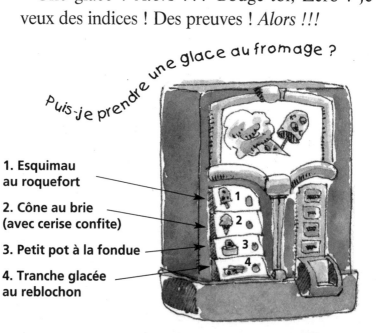

Puis-je prendre une glace au fromage ?

1. **Esquimau au roquefort**

2. **Cône au brie (avec cerise confite)**

3. **Petit pot à la fondue**

4. **Tranche glacée au reblochon**

Au même moment, j'eus envie d'éternuer :
– *Aaaah... aaaah...*
Rapidement, Traquenard mit sa patte sur mon museau pour arrêter l'éternuement.
Sally s'arrêta et chicota à voix haute :
– *Alors là,* je jurerais que Stilton est dans les parages. Geronimo Stilton ! *Alors !!!*
Zéro couina, à voix basse :
– Mais madame Rasmaussen, nous sommes seuls, tout seuls !
Elle lui pinça l'oreille.
– Tais-toi, Zéro ! Et bouge-toi, *alors !!!*
C'est alors que retentit un horrible miaulement. C'était le chat fantôme ! Zéphyrin Zéro devint blanc comme un camembert frais. Sally cria, à pleins poumons :
– Montre-toi si tu es courageux ! *Alors !!!* Fais un peu voir ton vilain museau de félin ! Je vais

Bouge-toi, Zéro !

t'arracher la queue, je vais t'épiler les moustaches, je vais t'écorcher ! *Alors !!! Alors !!! Alors !!!*

Était-ce la réponse ? Tous les objets métalliques

COMME AFFOLÉS SE MIRENT

EN MOUVEMENT EN DIRECTION DU TUNNEL 1 D'OÙ VENAIENT LES MIAULEMENTS.

Toutes les lumières du métro s'éteignirent.

Sally, abasourdie, s'écria :

– *Et alors !!!*

Zéphyrin Zéro, terrorisé, détala dans l'obscurité.

Sally le suivit en hurlant :

– Reviens ici, trouillard ! Ou je te flanque à la porte ! *Non mais alors !!!*

À CAUSE
D'UNE BOTTE

Pinky soupira :

– On peut sortir, maintenant ? Je n'en peux plus ! D'abord l'inspecteur, puis Sally...

Nous sortîmes, et Téa commença à faire des photos et à prendre des notes.

Soudain, je vis deux lumières jaunes dans l'obscurité : étaient-ce de nouveau les yeux d'un chat fantôme ?

Non, c'était une rame de métro !

J'entendis un cri :

– *Scouiiitt !* Au secours !

Traquenard était tombé du quai. Je tendis la patte pour l'aider à remonter, mais je découvris avec horreur que sa botte gauche s'était coincée dans une grille métallique !

– *Scouiiiiitt !* hurla mon cousin.

Je descendis du quai en prenant soin de ne pas m'approcher des rails.

Je tirai, je tirai de plus en plus fort : la botte était bel et bien coincée !

– On n'y arrivera jamais ! Va-t'en, Geronimo ! Toi, au moins, tu auras la vie sauve ! chicota mon cousin.

Je ne répondis pas, et, haletant, commençai à défaire la botte, serrée jusqu'à la cheville.

Il y avait douze crochets…

Un, deux, trois, quatre, cinq, six, sept, huit, neuf, dix, onze…

La rame de métro se rapprochait...

La rame de métro se rapprochait...

... **douze** !

Traquenard arracha sa patte de la botte, sauta sur le quai, et moi avec lui.

Juste à temps !

Nous étions saufs.

Un courant d'air nous enveloppa et, sur son passage, le métro souleva un nuage de poussière noire qui nous fit tousser.

DE LA PÂTÉE POUR CHAT

Téa et Pinky se précipitèrent.

Pinky s'écria, tout émue :

– **CHEF**, j'ai bien cru que tu allais être transformé en pâtée pour **CHAT**...

Je ne pus m'empêcher de frissonner en entendant ce mot.

Par mille mimolettes, pourquoi, pourquoi, mais pourquoi donc n'avaient-ils que ce mot-là à la bouche ?

Téa brandit un rouleau de pellicule photo.

– Geronimo, je ne l'ai pas ratée, celle-là ! Je t'ai photographié au moment où tu allais être écrasé par la rame de métro. Je ne te raconte pas le cliché ! Puis elle exulta :

– C'est sûr, je vais remporter le prix pour la photo la plus spectaculaire de l'année ! Euh, au fait, je suis contente que tu t'en sois tiré, frérot…

Je souris. Je connais ma sœur, je sais qu'elle m'aime bien, même si elle fait toujours la dure.

Traquenard s'approcha de moi en boitant, avec une seule botte.

Il ouvrit la bouche, et je crus qu'il allait dire quelque chose… mais il s'effondra sur mon épaule et éclata en sanglots, sans un mot !

Je gardai le silence un moment moi aussi, les yeux brillants, en lui tapotant l'épaule.

Traquenard murmura :

– Permets-moi de t'offrir une glace au fromage, cousin. On s'en est tiré : ça se fête ! Ça te dirait deux cônes au brie, ceux avec la cerise confite ?

Bras dessus, bras dessous, nous nous dirigeâmes vers le distributeur automatique de glaces.

... deux cônes au brie, avec une cerise confite.

Téa marmonnait :

– Je me demande qui conduisait cette rame de métro. Moi, je ne crois pas aux fantômes, je n'y crois pas du tout ! Il *doit* bien y avoir une explication !

Pendant que mon cousin introduisait des pièces

dans le distributeur de glaces, je vis
quelque chose qui brillait par
terre. Je me baissai, curieux :
c'était une vieille bague en
argent, avec un sceau en
forme de fromage.
Je l'étudiai à la lumière des
torches : on y voyait gravées les
initiales **A.V.**

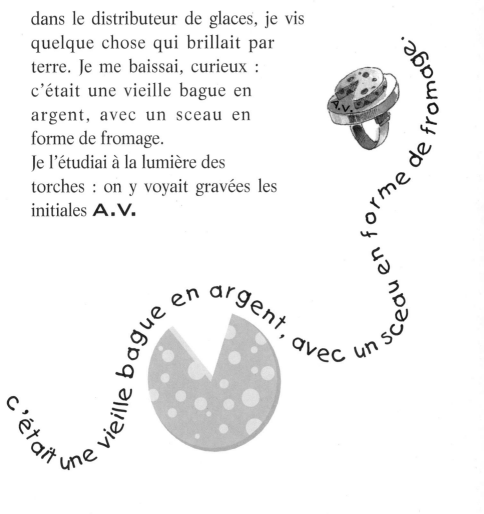

c'était une vieille bague en argent, avec un sceau en forme de fromage.

DE MYSTÉRIEUSES EMPREINTES

En me penchant pour ramasser la bague, j'avais remarqué une tache bizarre sur le ciment du quai. Je l'observai avec attention : c'était une empreinte !

J'appelai les autres, tout excité :

– J'ai découvert de mystérieuses empreintes !

Traquenard s'empressa de les examiner, les moustaches vibrant de curiosité.

– Ce sont des empreintes de **CH**... euh, de félin ! Il s'était corrigé en regardant vers moi. Puis il me fit un clin d'œil.

Téa les photographia, tout exaltée.

– Si on les suivait !

Les empreintes partaient de la station de la place de la Pierre-qui-Chante et se dirigeaient vers le tunnel de la ligne 1.

LA PORTE MYSTÉRIEUSE

Quels secrets allions-nous découvrir dans le sombre tunnel de la ligne 1 ? C'était là, peut-être, qu'était tapi le félin fantôme... Je frissonnai.

Nous suivîmes les empreintes sur le quai étroit qui longeait les rails. Nous nous enfonçâmes dans le tunnel, en éclairant ces traces avec nos torches électriques. Au bout de cinq minutes, Pinky s'exclama :

– Regardez ! Les traces s'arrêtent au pied de ce mur. On dirait que celui qui les a laissées a traversé la paroi, comme un fantôme !

Téa répliqua :

– Im-po-ss i-b/e !

Nous examinâmes attentivement le mur. Rien !
Je remarquai, du coin de l'œil, que Pinky jouait
avec son **YO-YO**.
Soudain, le **YO-YO** lui échappa des mains
et tomba par terre. Elle se baissa
pour le ramasser en prenant
appui sur le mur. C'est alors
qu'elle cria :

– Au secouuuurs !

Je me retournai : Pinky
avait disparu ! Où était-elle
passée ? Nous l'appelâmes, nous
la cherchâmes, mais on aurait dit qu'elle s'était
évanouie, comme le félin fantôme !!!
Téa murmura :
– Il doit y avoir un passage secret. Examinons
ce mur.
Sa torche électrique éclaira les pierres, une par
une : elle les tapotait de la patte jusqu'à ce
qu'elle en trouve une qui sonne creux.

– J'y suis ! Il y a un passage là derrière. Vous allez voir !

Elle posa la patte sur la pierre et, en un éclair, sans un bruit, le mur **énorme** pivota sur lui-même.

Je vous assure que cela ne fit pas le moindre bruit, parole de Stilton, de Geronimo Stilton !

Téa disparut de l'autre côté du mur.

– C'est à nous, maintenant ! chicota Traquenard.

J'avais si peur que mon poil se hérissait, mais je ne voulais pas passer pour un trouillard et je le suivis.

Nous posâmes la patte sur le mur… qui pivota sans un bruit.

**DE L'AUTRE CÔTÉ DU MUR,
L'OBSCURITÉ ÉTAIT TOTALE.**

– Geronimo ! C'est toi ? murmura ma sœur.

Elle alluma sa torche, qui éclaira un grand escalier en contrebas. Il régnait une odeur de moisi et les murs étaient couverts de *salpêtre*. **BRRR ! QUELLE ANGOISSE !** Nous descendîmes précautionneusement les marches usées par le temps.

Enfin, nous atteignîmes la dernière : devant nous se dressait une imposante porte en bois de chêne, avec une énorme serrure et une grosse clef.

Sur la porte mystérieuse, quelqu'un avait gravé les initiales **A.V.**

Téa essaya de la pousser d'un coup de patte...

– C'est ouvert ! Le propriétaire doit plutôt être du genre distrait...

Téa remarqua que c'était une serrure à déclic, et elle retira la clef.

– Hum, mieux vaut emporter cette clef,

Je n'ai pas envie de me retrouver enfermée là-dedans !

Tiens, Geronimo, rends-toi utile, garde-la ! Moi, j'ai besoin d'avoir les pattes libres pour prendre des photos !

En soupirant, j'accrochai la grosse clef à ma ceinture et je suivis les autres.

DU CONCENTRÉ
DE PIPI DE CHAT

Nous pénétrâmes dans un immense salon. Au premier coup d'œil, nous comprîmes que c'était un laboratoire !

De hautes voûtes de pierre étaient soutenues par d'anciennes colonnes avec des chapiteaux de granit en forme de tête de souris.

Ces voûtes étaient couvertes de fresques représentant la *Grande Guerre contre les Chats*...

Je levai les yeux, admirant ces fresques anciennes, quand, soudain, comme un nigaud, je trébuchai et tombai le museau en avant.

Ma sœur ramassa l'objet contre lequel j'avais buté. C'était un jerrican portant une étiquette : *concentré de pipi de chat.*

Téa sourit sous ses moustaches.

CONCENTRÉ
DE PIPI
DE CHAT

– Le voici, votre chat fantôme ! L'odeur venait d'ici ! Je le savais bien : les fantômes, ça n'existe pas !

Elle explora la salle. Elle appuya sur un interrupteur et nous entendîmes un horrible miaulement :

MIAOOOOOUUUUU

Elle désigna un pot métallique.

– Et voici de la peinture fluorescente ! Ça sert au *fantôme* pour créer des effets spéciaux dans le noir ! Et regardez ça : ce sont les chaînes qu'il traînait pour nous effrayer.

Et voyez toutes ces caméras ! Elles servaient
à surveiller d'éventuels intrus. Incroyable !
Téa montra un projecteur.
– Je comprends comment il faisait pour proje-
ter l'ombre du **CHAT** sur les murs !

Miaooouuuu
Miaooouuuu
Miaooouuuu
Miaooouuuu
Miaooouuuu

Elle alluma le projecteur et nous fîmes tous un bond en arrière. L'**OMBRE** d'un félin géant s'était matérialisée sur le mur.

À QUOI SERT
CE LEVIER ?

Nous continuâmes d'explorer ce laboratoire
bizarre. J'admirais une collection de vieux
appareils électriques du XIXe siècle,
quand j'entendis mon cousin
chicoter :
– Et à quoi sert ce levier ?
Téa, Pinky et moi criâmes
en chœur :
– **Arrête !**
Mais il était trop tard.
Traquenard abaissa le
levier. Soudain, tous les objets
de métal qui se trouvaient dans
le laboratoire furent attirés par un
énorme aimant.

La grosse clef de la porte, que j'avais attachée à ma ceinture, m'entraîna inexorablement vers l'aimant, contre lequel je restai collé, le museau en bas.

– Au secouuurs ! Faites-moi descendre ! criai-je.

Pinky, rapide comme un rat, remit le levier dans sa position initiale.

D'un coup, tous les objets de métal se détachèrent de l'aimant, et je tombai sur le sol en pierre, le museau en avant.

– *Scouiiitt !* gémis-je en me relevant. J'aurais pu m'écraser le museau, j'aurais pu me casser une incisive, j'aurais pu… j'aurais pu…

j'aurais pu me fêler une vertèbre de la queue…

… je restai collé à l'aimant…

AH, C'EST UNE LONGUE HISTOIRE…

C'est alors que la porte s'ouvrit dans un grand bruit. Nous nous retournâmes, étonnés.

Une silhouette féline se découpa, menaçante, à contre-jour : c'était un **chat** haut de 6 mètres au moins, et qui, avec sa queue et tout le reste, devait bien peser 18 tonnes !

Il avait une tête large, un museau aplati, des oreilles en pointe, ses longues moustaches vibraient comme s'il avait flairé une odeur de souris.

Il avait des yeux cruels, d'une couleur ambrée, aux reflets dorés, aux pupilles dilatées, typiques des félins qui vont bondir sur leur proie.

Mais son regard était fixe et vitreux...
pourquoi ? Son épaisse fourrure brillait
d'étranges reflets, comme si elle était synthé-
tique... *pourquoi ?*

Soudain retentit un bruit métallique.
Puis, avec un mouvement saccadé, typique des
automates, le félin se dirigea sur nous. Enfin il
se dressa sur ses pattes de derrière, saisit sa
grosse tête poilue, la détacha de son cou et se
la mit sous une patte de devant !!!

De l'énorme FÉLIN-ROBOT sortit une
petite souris, qui sauta d'en haut et
se dirigea tranquillement vers
nous.

Elle se présenta :
– Je suis le professeur
Ampère Volt !

Je lui tendis la patte.
– Euh, mon nom est
Stilton, Geronimo Stilton !

Ampère Volt

Professeur, je vous présente ma sœur Téa, mon cousin Traquenard et mon assistante, Pinky Pick !

Il s'illumina.

– Stilton ? Geronimo Stilton ? Mais alors, vous êtes l'auteur du *Week-end absurde de Geronimo* !

Il me serra la patte avec enthousiasme.

– C'est mon livre préféré ! J'ai ri aux larmes en le lisant ! Vous savez, mon travail ne m'offre pas beaucoup d'amusements. Quand j'ai envie de rire, je lis vos livres, par exemple cette merveilleuse histoire de **VAMPIRES**, quel était le titre déjà ? *Un*

sorbet aux mouches pour Monsieur le Comte ?
Ampère poursuivit :
– Mais, à présent, éminents rongeurs, je crois
que je vous dois quelques explications. Voyez-
vous, je suis inventeur…

MACHINE POUR LES
ŒUFS À LA COQUE

ŒUF

D'un geste solennel, il indiqua un appareil long d'une dizaine de mètres.

– Par exemple, voici une machine à cuire les œufs à la coque. N'est-ce pas renversant ? Le seul problème, c'est que c'est un peu encombrant...

Pinky désigna un appareil posé sur une étagère :

– Et ça, qu'est-ce que c'est ?

La question réjouit Ampère.

– Ah, ça, c'est une invention vraiment géniale. Il ne faut pas que j'oublie de la faire breveter (euh, je suis assez distrait). Il s'agit d'un...

fer à friser la moustache à vapeur !

Je vais vous faire une petite démonstration. Vous qui êtes jeune et avez de belles moustaches, approchez !

La machine cracha un nuage de vapeur.

– Ouaouh ! s'écria mon cousin, enthousiaste, en lissant ses moustaches frisées à la perfection.

Combien ça coûte ?
– C'est un prototype, un mo-
dèle que j'ai construit
moi-même. Dès qu'on
le produira en série,
je vous en offrirai un !
promit Ampère.

Fer à friser la moustache à vapeur

Je murmurai :
– Professeur Volt, je vous prie d'excuser notre
intrusion dans votre laboratoire. Nous
sommes désolés d'avoir dérangé vos expériences ! Parole de Geronimo Stilton, nous
croyions qu'un félin *fantôme* rôdait dans le
métro...
Il rit sous ses moustaches :
– Vous y avez cru, vous aussi ? Ah, c'est une
LOnQUe histoire. Si vous le voulez
bien, je vais tout vous raconter depuis le
début...

Ma dernière
invention est...

– Mon père était le comte Oscillo Scope Volt :
nous sommes une famille noble, originaire de
la vallée d'Emmental. Ma naissance me
destinait à une vie oisive, dans le vieux château
de mes ancêtres... expliqua Ampère.
» Mais je sentais brûler dans mon cœur le feu
de la science. Je décidai de partir pour
Souringe, siège de la plus prestigieuse
université de l'île des Souris. J'y obtins mes
diplômes de **mathématique, de physique,
de chimie, de médecine, d'architecture,
d'ingénieur, de littérature, d'histoire,
d'archéologie, de philosophie !** J'étais
jeune encore, il y a cinquante ans de cela,
quand j'ai réalisé le métro de Sourisia. J'en

connais tous les détours, toutes les briques, tous les rails… Au cours des travaux, je fis une découverte importante : un réseau d'anciennes galeries serpente sous la ville. Elles remontent à l'époque de la *Grande Guerre contre les Chats* !

Ces galeries servaient à communiquer avec l'extérieur…

Le professeur poursuivit :

– Ces galeries servaient à communiquer avec l'extérieur quand la ville était assiégée. Ainsi donc, au cours des travaux du métro, j'ai découvert une portion de galerie en parfait état de conservation. J'ai décidé de la transformer en laboratoire secret. C'est ici que j'ai réalisé toutes mes expériences secrètes sur les champs électromagnétiques. Personne ne m'a jamais dérangé, personne n'a jamais soupçonné mon existence. Pour sortir, je soulevais la plaque d'égout, comme vous !

Je l'interrogeai :

– Je vous prie de m'excuser, professeur, mais pourquoi avez-vous installé votre laboratoire dans le métro ?

Ampère sourit sous ses moustaches et expliqua :

– Sous terre, aucune source électromagnétique ne vient perturber mes expériences. C'est un excellent milieu !

Puis il me demanda :
– Voulez-vous savoir ce que j'ai inventé ? Je vais vous le dire, car je sais que vous êtes une souris *sur qui l'on peut compter*... Je l'ai compris en lisant vos livres ! ricana-t-il.
» Ainsi donc, j'ai construit de nombreux appareils électromagnétiques, comme cet énorme aimant qui attire tous les objets métalliques dans un rayon de 300 mètres... – et il désigna l'appareil auquel j'étais resté collé. Mais ma dernière invention est le **Voltyx**, qui me permet de soulever et de déplacer *n'importe quel objet* !
Volt tira de sa ceinture un appareil qui ressemblait à une télécommande et le dirigea vers Traquenard.
– Vous permettez, mon cher ?
Comme par magie, Traquenard se souleva de terre.

Voltyx

– Faites-moi redescendre ! protesta mon cousin.

Ampère le déposa délicatement à terre.

Mon cousin couina :

– On pourrait s'en faire, du **BLÉ**, avec une invention pareille !

Ampère secoua la tête.

– Dimanche dernier, quelqu'un s'est introduit dans mon laboratoire et a fouillé dans mes papiers. Cela m'a fait réfléchir. Que se passerait-il si le **Voltyx** tombait entre les pattes d'une personne malintentionnée ? Peut-être le monde n'est-il pas encore prêt pour mon invention, qui donnerait un pouvoir immense à son possesseur !

Nous écoutions tous avec intérêt, le silence n'était troublé que par le bruit des mâchoires de Traquenard qui grignotait un sandwich aux moules fumées, truffé de sauce à l'oignon.

Le professeur conclut :

– C'est pourquoi j'ai décidé d'abandonner ce laboratoire, où le secret qui doit entourer mes expériences ne peut plus être garanti.

» Car le **Voltyx** n'est qu'un début : je travaille sur une découverte encore plus importante ! Depuis lundi, pendant les préparatifs de mon déménagement, j'ai utilisé cet énorme **chat-robot** pour éloigner les curieux. C'est moi qui conduisais la rame de métro, c'est moi qui éteignais et allumais les lumières et qui attirais les objets métalliques avec mon aimant… et j'avais aussi eu l'idée des miaulements enregistrés, des ombres projetées sur les murs, des yeux en peinture fluorescente, du concentré de pipi de chat… Vous aussi, vous y avez cru ! Mais, aujourd'hui, je vais disparaître de nouveau, dans une nouvelle cachette !

C'est alors que Sally et Zéphyrin Zéro franchirent la porte. Sally écarquilla les yeux en me voyant.

– Stilton ! Que fais-tu ici, *alors ???*

PAROLE DE SALLY RASMAUSSEN !

Le professeur Volt demanda sèchement :

– Bonjour, madame Rasmaussen ! Est-ce la première fois que vous pénétrez dans mon laboratoire ?

– Évidemment ! couina insolemment Sally. Jamais vu avant ! Parole d'honneur de Sally Rasmaussen ! *Non mais alors !!!*

Ampère alluma un appareil.

– Ce film a été enregistré dimanche dernier grâce à des caméras déclenchées par le système d'alarme. Comment expliquez-vous ces images, madame Rasmaussen ?

Sur l'écran, on voyait Sally et Zéro fouiller sur les étagères.

Sally s'écria :

– mais ce n'est pas moi ! On le voit

bien ! *Alors,* c'est un complot !

Ampère secoua la tête.

– Il y a trop de rongeurs comme vous, madame Rasmaussen, des souris prêtes à tout pour s'enrichir. Voilà pourquoi je veux que mes expériences restent secrètes !

Il prit une petite valise et se dirigea vers la porte en nous saluant de la patte. Je lui tendis la vieille bague d'argent et murmurai :

– C'est à vous, n'est-ce pas, *professeur* ?

Il glissa la bague à son petit doigt, tout ému.

– Merci, Geronimo ! Cette bague est dans ma famille depuis des générations ! Je l'avais perdue : euh, je suis assez distrait...

Sally le retint par la manche de la veste.

– Vendez-moi votre invention ! *Alors,* je vous donnerai tout ce que vous voulez ! L'argent, le succès, la gloire, le pouvoir...

Le professeur se contenta de hausser les épaules en souriant.

Sally **hurla** :

– Écoute, mon chou, on ne va pas en rester là, *alors...* Donne-moi ton invention, coco, avant que je te l'arrache avec les ongles et les dents !

Ampère se retourna : avec le **Voltyx**, il la souleva et l'accrocha délicatement au lustre.

Puis il dit, très courtois :

— Chère madame, à cette altitude peut-être aurez-vous une vision plus claire de la situation !

Et, souriant sous ses moustaches, Ampère se dirigea vers la sortie.

Sally profita de la distraction générale pour se décrocher du lustre, puis elle se jeta sur Ampère pour lui arracher le **Voltyx**.

– Je veux ce machin coûte que coûte ! *Alors !!!* Je le veux pour moi, rien que pour moi ! Pour

Sally se jeta sur Ampère pour lui arracher le Voltyx…

moiiii ! Je serai riche, fabuleusement riche et (pendant que j'y suis) je serai le maître du monde !

Ampère, rapide comme l'éclair, jeta quelque chose au milieu de la salle, qui se remplit aussitôt d'un brouillard jaunâtre et nauséabond.

Le professeur profita de la fumée pour s'éclipser.
Je l'entendis chicoter, pendant qu'il s'enfuyait :
– Ce sont des boules puantes fumigènes au
roquefort concentré. C'est sans aucun danger.
Encore une de mes inventions !
À tâtons dans la fumée, je trouvai la porte du
laboratoire. Nous sortîmes, l'un après l'autre,
dans le tunnel du métro.

J'entendis Sally Rasmaussen qui couinait
furieusement à son rédacteur en chef :
– Zéro, tout ça, c'est ta faute ! Tu
n'es pas un zéro, tu es
moins que zéro...

Nous aurons quand même un scoop !

Après le départ d'Ampère, le métro recommença à circuler normalement.

Tout rentra dans l'ordre.

Un mois plus tard, je reçus par la poste un paquet qui, à en juger par les cachets et le nombre de timbres, devait venir de très loin...

À monsieur le rongeur
Geronimo Stilton
Directeur de l'Écho du rongeur
13, rue des Raviolis
13131 Sourisia (île des Souris)

Dans la boîte, il y avait des inventions dont Ampère nous faisait cadeau :

– le fer à friser la moustache qui plaisait tant à Traquenard…

– un **YO-YO** interactif pour Pinky…

– un styloplume à encre jaune parfumée au fromage pour Téa !

Pour moi, enfin, il y avait un étui cylindrique en carton qui contenait des feuilles de papier enroulées sur elles-mêmes et couvertes de dessins techniques.

Je remarquai une lettre cachetée à la cire jaune : le sceau portait l'empreinte d'un morceau de fromage. Je la lus, intrigué…

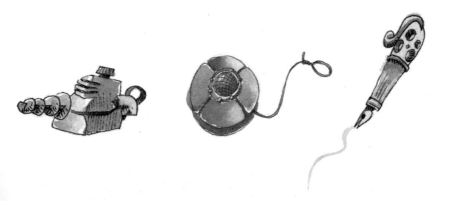

Cher Geronimo,

J'aimerais que vous publiiez, dans l'Écho du rongeur, cette lettre dans laquelle je m'excuse auprès des habitants de Sourisia d'avoir causé toute cette pagaille. Je vous confie en outre des plans pour rénover le métro de Sourisia : considérez que je rends ainsi hommage à la ville, pour me faire pardonner !

Je sais que je peux compter sur vous, cher Geronimo, j'ai tout de suite compris que vous étiez un vrai noblerat !

Mes respects,

Ampère Volt

Flatté, je souris sous mes moustaches.

Ampère avait vraiment raison : en effet, je suis *une souris sur qui l'on peut compter !*

J'appelai ma sœur :

– Téa, nous aurons quand même un scoop !

Prépare le titre de la une !

Édition spéciale !!! Ampère Volt, le génial professeur qui a construit le métro de Sourisia il y a cinquante ans, fait cadeau à la ville des plans pour sa rénovation ! Tous les détails et la lettre autographe du professeur Volt, page 4, dans LA CHRONIQUE DE SOURISIA !

Les gens s'arrachèrent l'édition spéciale de *l'Écho du rongeur*.

Je reçus un coup de téléphone de **Ciné-Raton** : ils voulaient acheter les droits de l'histoire pour tourner un film, et ils proposaient une somme fabuleuse !

J'eus à peine le temps de raccrocher que Traquenard fit irruption dans mon bureau.

– Je connais le cousin du frère de la tante du majordome du président de **Ciné-Raton** et je sais déjà tout ! Tout !!! Alors, on partage ? Hein ??? On partage, cousin ?

JE SUIS UN VRAI NOBLERAT !

Six mois s'écoulèrent encore. Je reçus une autre lettre cachetée à la cire jaune...

Cher Geronimo,
Je vais tenter une nouvelle expérience extra-ordinaire : un voyage dans le temps !
Voulez-vous m'accompagner ? J'aimerais que vous preniez note de tout ce qui se passera (euh, je suis assez distrait) et que vous écriviez un livre sur notre aventure...

Le professeur m'expliquait que nous allions retourner à l'époque des pharaons, et que...

Mais c'est une autre histoire, et vous la lirez dans un autre livre !

À propos, dans sa lettre, le professeur Volt me dévoilait l'emplacement de son nouveau laboratoire secret.

Quoi ???

Vous aimeriez savoir où il se trouve ???

Scouitt ! Je regrette, je regrette vraiment, mais j'ai promis au professeur Volt de garder le secret.

Je vous l'avais bien dit, je suis *une souris sur qui l'on peut compter...*

117

TABLE DES MATIÈRES

Geronimo Stilton

DANS LA MÊME COLLECTION

L'ÉCHO DU RONGEUR
1. Entrée
2. Imprimerie (où l'on imprime les livres et le journal)
3. Administration
4. Rédaction (où travaillent les rédacteurs, les maquettistes
   et les illustrateurs)
5. Bureau de Geronimo Stilton
6. Piste d'atterrissage pour hélicoptère

Sourisia, la ville des Souris

1. Zone industrielle de Sourisia
2. Usine de fromages
3. Aéroport
4. Télévision et radio
5. Marché aux fromages
6. Marché aux poissons
7. Hôtel de ville
8. Château de Snobinailles
9. Sept collines de Sourisia
10. Gare
11. Centre commercial
12. Cinéma
13. Gymnase
14. Salle de concert
15. Place de la Pierre-qui-Chante
16. Théâtre Tortillon
17. Grand Hôtel
18. Hôpital
19. Jardin botanique
20. Bazar des Puces qui boitent
21. Parking
22. Musée d'art moderne
23. Université et bibliothèque
24. La Gazette du rat
25. L'Écho du rongeur
26. Maison de Traquenard
27. Quartier de la mode
28. Restaurant du Fromage d'Or
29. Centre pour la Protection de la mer et de l'environnement
30. Capitainerie du port
31. Stade
32. Terrain de golf
33. Piscine
34. Tennis
35. Parc d'attractions
36. Maison de Geronimo Stilton
37. Quartier des antiquaires
38. Librairie
39. Chantiers navals
40. Maison de Téa
41. Port
42. Phare
43. Statue de la Liberté

Île des Souris

1. Grand Lac de glace
2. Pic de la Fourrure gelée
3. Pic du Tienvoiladéglaçons
4. Pic du Chteracontpacequilfaifroid
5. Sourikistan
6. Transourisie
7. Pic du Vampire
8. Volcan Souricifer
9. Lac de Soufre
10. Col du Chat Las
11. Pic du Putois
12. Forêt-Obscure
13. Vallée des Vampires vaniteux
14. Pic du Frisson
15. Col de la Ligne d'Ombre
16. Castel Radin
17. Parc national pour la défense de la nature
18. Las Ratayas Marinas
19. Forêt des Fossiles
20. Lac Lac
21. Lac Lac Lac
22. Lac Laclaclac
23. Roc Beaufort
24. Château de Moustimiaou
25. Vallée des Séquoias géants
26. Fontaine de Fondue
27. Marais sulfureux
28. Geyser
29. Vallée des Rats
30. Vallée Radégoûtante
31. Marais des Moustiques
32. Castel Comté
33. Désert du Souhara
34. Oasis du Chameau crachoteur
35. Pointe Cabochon
36. Jungle-Noire
37. Rio Mosquito

Au revoir, chers amis rongeurs, et à bientôt
pour de nouvelles aventures.
Des aventures au poil, parole de Stilton, de...

Geronimo Stilton